e 新
No.
洋経済

独習 教養をみがく

週刊東洋経済eビジネス新書　No.355

独習　教養をみがく

本書は、東洋経済新報社刊『週刊東洋経済』２０２０年8月8日・１５日合併号より抜粋、加筆修正のうえ制作しています。情報は底本編集当時のものです。したがって、その後の新型コロナウイルス感染症等による社会的・経済的な影響の変化などは反映していません。（標準読了時間　１２０分）

独習　教養をみがく　目次

【概論】教養を手に入れ世界を回す

情報を選択する力が必要

数学者・藤原正彦

コロナ禍のなか、私たちはどのような知識や教養を身に付けるべきなのか。実は私はその問い自体に疑問を感じている。グローバリズムを牽引してきたのは効率重視の思想である。いちばん役に立つのは何か、という発想はまさしくこの思想に基づくものので誤りである。

はっきり言うと、教養とは役に立たないものだ。役には立たないが、持っていないと駄目だというものだ。役に立つことだけを追いかけてはいけないのである。

小柴昌俊さんがニュートリノの観測でノーベル賞を受賞したとき、「先生の研究はいつぐらいになったら人類の役に立ちますか」と聞かれた。すると小柴さんは、

「500年経っても役に立たない」と答えた。

それでも、この研究がすばらしいのは間違いない。小柴さんの研究により、日本の科学技術の水準が高くなり、レベルの底上げも進んだ。その結果、日本からイノベーションが生まれていく。こういう循環が発生したのである。

役に立つものを追い求めるという発想が世界を毒してきた。だから、役に立たないもの、教養のようなものを持たないと、これからの世界は回らないのである。

グローバリズムは新型コロナウイルスで破綻したようなものだ。人、物、金が自由に国境を移動する。それは数学的に見て、関係国すべての利潤が最大化される方式である。数学的に証明されている。

エコノミストや経済学者は、そのことを「数学は絶対的に正しいから、数学的に証明されたのなら、もう問題ない」とそのまま受け入れてしまう。

数学的理論は通用せず

しかし実は、数学というのは、ものすごく純粋で、抽象的な学問である。それを現実の経済に応用するときには、いくつもの前提を必要とするのだが、パンデミックや2008年のリーマンショックのようなときには、その前提が吹き飛んでしまう。

連続的な変化なら対応できるが、非連続で破局的な変化では理論は吹き飛ぶ。そのことをエコノミストたちは理解していない。グローバリズムの根幹である人、物、金の自由な移動は、確かに平時においては理想的なシステムだが、こうした状況では非常に脆弱であることがわかった。

第1次世界大戦で1700万人が戦死したが、1918年から20年のスペイン風邪では4000万人が亡くなっている。さかのぼって、14世紀のペストのときは、欧州人口の半分以上が死亡したという。大戦争と比較にならないほど、パンデミックは恐ろしい。

その状況に対応できない経済システムは、もう使えない。日本も安く物を作るために製造拠点をすべて中国に持っていった。米国もそうだ。だから中国に「もう輸出しないぞ」と脅されるのである。

第2次世界大戦のとき、英国首相のチャーチルが最も肝を冷やしたのは1940年の秋だった。米国から英国に来る食料輸送船がドイツのUボートに沈められた。それにより、食料の備蓄が1週間を切ったことがあった。場合によってはドイツと戦う前に無条件降伏しなければならなかったのだ。

アメリカ・ファーストのトランプ米大統領のように、中国の指導者もほかの国も自国ファーストと言い出すだろう。

例えば食料自給率30%台の日本も不測の事態が起きたとき、当時の英国と似た状況になりかねない。日本にとって、自国ファーストで農業を守るのは、損得勘定でいうと損なことだ。狭い国土で作物を育てるよりも、米国や豪州などから買ったほうが断然安い。しかし、これからは損得や役立つ、役立たないという発想から離れた次元で物事を決めなければならない。これがコロナ後の世界でいちばん鮮明となる変化なのだ。

そこで話を戻すと、教養が重要になってくるのである。

身近にあるささやかな幸せ、美しい自然、文化、芸術でもいい。はっきり言って何の腹の足しにもならないようなことが、再評価される時代だ。役に立たないように見えるが、これらを手に入れると、グローバリズムに象徴される、コロナ以前の世界がどうしようもないものだったことがわかる。

教養がないと、情報の選択ができなくなる。今は小中学生から大人までスマートフォンでインターネットを見ている。そこには無限の情報があるが、無限の情報とは数学的にはゼロと同じである。無限＝ゼロ。選択する方法を知らない限り、それはゼロでしかない。

肝心なのは無限の情報の中から、本質的な情報を選ぶことだ。一般人にとっては情報を得ることよりも、情報を選択する力が重要になる。その情報を選択する力こそまさに教養なのである。

スマホで、選択できない情報を何度見ても何の意味もない。新聞や雑誌は情報を選択する役割を担っていて、本質的な情報を提示してくれる。こうしたメディアから得た知識を読書によって、教養まで高めていくという作業が大切だ。情報、知識、教養という3段階のステップを踏んでいくのだ。

教養を持たないと、大局観が身に付かない。今の政府も官僚も大局感が備わっていない。財界も東大生も同じ。20~30年前の政界や財界には、すばらしい教養の持ち主が山ほどいた。みんな旧制高校出身だった。

旧制高校の人は旧帝大に無試験で入れるから、みんな一生懸命に本を読んでいた。哲学や文学など、役に立たない本ばかり。だが、教養があって、大局観があった。その人たちがみんな引退してしまったのが、バブル後の光景である。

新型コロナウイルスが蔓延しても、政治家も官僚も財界も、対症療法しかできない。最後の砦であるはずの学会ももう教養を持っていない。学問が細分化するあまり、学者が教養を身に付ける時間がなくなってしまった。

民主主義社会ではリーダーだけが、大局感を持っていればよいわけではない。政治経済を動かすのは、国民である。国民こそが大局感を持つ必要がある。情報や知識を教養にまで高める作業をしなければならない。だから、私は一生懸命、「読書文化、活字文化の復興を」と叫んできたのである。

教養が情緒を育む

教養を身に付けるには、時間がかかる。ビタミン剤を飲めばいいというわけではない。幸運なのは年齢を重ねていても教養は十分に身に付くことである。本を1冊読むごとに教養は高まっていく。「一生死ぬまで本を読み続けよ、本を抱きかかえて死ね」。これがいちばんいい死に方である。藤原家では、曾祖父も祖父も父もそうやって死んでいった。

私は中学校の頃、役に立たない講談本ばかり読んでいた。雷電為右衛門や堀部安兵衛が登場する講談本には義理人情や惻隠の情、正義感などが全部出てくる。

情緒が育まれるのも教養の大事な部分だ。実体験で養うのが一番だが、それができる人は非常に限られている。例えば、人生で出会った人々のうち、深く意思の疎通ができる人はどれくらいいるのだろうか。家族以外だと片手で足りるくらいではないか。

世界中の偉人、賢人、あるいは庶民の涙、哀歓……。実体験では限度があるが、本を読むと、こういうことに触れることができる。教養が身に付くのである。

コロナ後の世界はコロナ前と同じではいけない。コロナ前よりもよい世界にしなければならない。経済はしばらく大変なことになるだろう。だが、最後はよりよいものをつかまなければならない。そのとき、力になるのが教養だ。

40年前、米国で教鞭を執って、日本に帰国したとき、一緒に来日した米国人女性は、「駅前に本屋があって、黒山の人だかりができていた。これほどエキサイティングな光景を見たことがない」と驚いていた。この光景が日本の底力そのものだった。だからこそ、日本人は今、読書文化や活字文化を復興させて、教養を身に付けるべきだと思うのである。

【ポイント】

① グローバリズムは終わった
② 損得勘定で物事を決めない
③ 読書・活字文化の復興を

(構成・堀川美行)

藤原正彦（ふじわら・まさひこ）

1943年生まれ。お茶の水女子大学名誉教授。1978年、『若き数学者のアメリカ』で日本エッセイスト・クラブ賞を受賞。『国家の品格』『国家と教養』『本屋を守れ』など著書多数。

【読書】家にいる今こそ読書を

本で得た知識は生きる

立命館アジア太平洋大学（ＡＰＵ）学長・出口治明

２０２０年の危機で世界がどう変わり、個人レベルではどのような変化が生じるかをまず整理しよう。そのうえで、「教養」というキーワードを基に読書について考えていきたい。

まず新型コロナウイルスの蔓延により世の中は３つの点で意識が変わった。１つ目はＩＴリテラシーの向上だ。ビデオ会議システム「Ｚｏｏｍ」の活用が例に挙げられる。僕自身もコロナ以前はＺｏｏｍで会議や講義をしたことがなかったが、今はＺｏｏｍを使いこなしている。先進国の中で日本はデジタル化が遅れていたため、デジタル化の促進による生産性の向上が期待できる。

2点目はステイホームで家族や友人と過ごす時間の大切さを認識したことだ。以前は上司からの「飲みに行くか」という誘いに対し、「はい」と威勢よく返事をするという意識が社会に蔓延していた。だがステイホームをきっかけに、上司と飲みに行くよりも、家族や友人と過ごすほうがいかに楽しいかを認識する機会となった。実際、自粛中に上司とZoom飲み会をした人はどれくらいいるだろうか。

3点目はリーダーや政治に対する目が厳しくなったことだ。新型コロナウイルスへの対応をめぐり、リーダーはどのように行動しただろうか。米国の例を見てみよう。毎日会見で市民に語りかけたクオモ・ニューヨーク州知事のほうが、トランプ大統領よりも「信頼できるリーダーではないか」と僕は思った。周りを見渡しても、フェイスブックやツイッターで「うちの知事はしっかりやっている」「少し心配だ」などの発信が見られ、リーダーに対する市民の目が厳しくなっているのを感じる。

年功序列から成果序列へ

次に個人に生じる変化を考えたい。最も大きいのが働き方だ。

テレワークの普及を機に、個人の成果がより見えるようになった。影響は現場の部下だけにとどまらず、上司も同じだ。これまでだと上司は、「こんなことをやりたいので、皆で相談して、こういう資料を作ってほしい」と現場に丸投げできた。賢い部下が上司の意図をくみ取り、うまく資料を仕上げてくれた。だがテレワークだと、これまでのような丸投げはできない。上司が仕事を仕分けし具体的な指示を出さないと部下は動きづらい。

その結果、上司も部下も成果主義が当たり前になる。年功序列は消え、「成果序列」という新しい評価制度が生まれる。これまでのような「長時間労働している社員が偉い」「遅くまでオフィスに残っている社員は会社に尽くしている」といった根拠なき精神論は消える。年功だけで出世した上司は間違いなく淘汰されるだろう。

また転勤という制度がなくなる可能性も挙げたい。テレワークの普及により、どこにいても仕事ができるようになる。僕は以前から転勤制度はおかしいと思ってきた。理由は2つある。

1つ目は社員と地域との関係を無視していることだ。会社や上司は「家は社員が寝るだけの場所」と思っているかもしれないが、実際はそうではない。もし社員が日曜日に、地元のサッカーチームのコーチをやっていればどうだろうか。転勤すれば地域との関係が失われてしまう。転勤制度はそういった社員の環境を考慮していない。

2つ目はパートナーとの関係だ。パートナーにも仕事や人生がある。家族を犠牲にする転勤制度は、非人道的ではないか。テレワークが当たり前になれば、転勤という旧態依然とした制度は消えていくだろう。

イチローから直に学べ

こういった変化の大きい不透明な世の中で勧めたいのが読書だ。

僕は常日頃から勉強とは「人・本・旅」だと思っている。だがコロナ禍では人と会いにくい、旅にも出られないとなると、本を読むしかない。幸い家にいる時間が増えているのだから、読書は今こそ最適の勉強法になりうる。

僕の場合、歴史が好きなので歴史の本を多く読んできた。なぜ歴史かというと、歴史は地球上に生きてきた何百億人、何千億人という人々の物語の集積だ。面白くない話は自然と消えてしまう。例えばある村に大酒飲みがいて酒ばっかり飲み早死にした、という話を聞いても「あ、そう」で終わってしまう。面白くない話は残らない。だからこそ残る話は面白いのだ。

古典も同じだ。今でも無数の本が出版される。だが、ほとんどが初版で消えてしまう。何年も残る本は面白いから増刷される。古典の名作が残っているのは、歴史と同じだといえるだろう。

実際に古典を読むときは、解説書を読まずに実際の作品を読むことを勧める。例えばイチローのバッティングを解説した本があるとしよう。イチロー本人が解説したものと、本人以外が解説したものではどちらが優れているだろうか？　イチローと解説者、どちらの能力が優れているだろうか？　古典でいうと、プラトンが書いた本と、プラトンを解説した本なら、どちらの筆者が優れているだろうか？ 解説書ではなく古典そのものを読み、本人から直接教えを請うたほうがいいのは明らかだ。

ただし、解説書でも優れたものはある。「書物誕生 ― あたらしい古典入門」シリーズ（岩波書店）だ。さまざまな古典について、作品の解説ではなく作品が生まれた時代背景を解説している。こういった類いの解説書を読んでから作品そのものを読む方法は役立つだろう。僕は「古典を読むのはしんどい」という人にこのシリーズを薦めている。

具体的な古典作品をいくつか挙げてみよう。世界の不安定要素となっている米中対立について考えたければ、クラウゼヴィッツの『戦争論』がいいだろう。ビジネスパーソンが経済について理解したければ、アダム・スミスの『国富論』がある。また人間の心理について知りたければ、プルーストの『失われた時を求めて』や紫式部『源氏物語』もお薦めだ。

新しい分野を学ぶときの方法も話そう。薄い本ではなく分厚い本から読み始めることだ。僕はまず分厚い本から順に5冊くらい読んでいく。分厚い本は情報量が多くさまざまな内容を記してある。だから読み進めるとわからないことも多い。だが、薄い本に進むに連れてだんだんと理解が進んでくる。なぜなら薄い本は内容をコンパクトにまとめているからだ。逆にいうと、薄い本から始めてしまうと理解したような気になり、分厚い本は読まなくなる。人間というのは易きに流れるので薄い本から始めたくなるが、実際には分厚い本から読み始めたほうが習得は早い。

また古典や分厚い本を読んだときには、理解できない点もあるだろう。そのときは、本の内容をすべてわかるなんてありえないと心得よう。例えば上司の話を聞いたときに、「今日の話は理解できなかった」といったことが頻繁にあるはずだ。本を読むということは作者の話を聞くこと。上司の話と同じでだいたいわかれば十分だ。興味があればもう1回、聞けば ── 読み返せばいい。

八宝菜の作り方も教養

「好きこそものの上手なれ」という言葉があるように、嫌いなことは上達できない。だから好きなことを勉強すればいい。自分が興味ある分野を突き詰めれば教養は自然と身に付く。

僕は教養を「知識 × 考える力」と定義している。教養というと難しいイメージを持つかもしれないが、どんな知識でも教養になりうる。例えば「おいしい八宝菜の作り方」でもいい。レシピを覚え作れるようになれば家族が喜ぶ。知識を使えば生活は豊かになる。読書などで得た知識を使える人こそ「教養ある人」といえる。

また考える力を身に付けるには、著者の考える型、発想のパターンをまねすればいい。例えばデカルトの『方法序説』を読み、デカルトの思考プロセスを丁寧に追っていけば、「ああデカルトはこういうロジックで考えていたのか」と理解できる。著者の思考プロセスを疑似体験するのだ。料理でいうと最初はレシピどおり作るように、考える型をそのとおりに一度まねしてみることで考える力が鍛えられる。

【ポイント】

①コロナ禍で世界も個人も激変

②勉強とは「人・本・旅」

③教養とは「知識 × 考える力」

（構成・林　哲矢）

出口治明（でぐち・はるあき）

1948年生まれ。京都大学法学部卒業。日本生命保険入社。2008年ライフネット生命保険を開業（12年上場）。18年から現職。近著に『還暦からの底力』。

【政治・経済】生きるために『資本論』を読め

階級構造の現実を知る

思想史家・政治学者　白井　聡

ブラックバイト、過労死、所得の低迷。現代の経済社会が抱える多くの問題は、どうして一向に改善されないのか。19世紀の革命家・マルクスが著した『資本論』は、資本主義が生み出す病理について理解する手助けになる。

数年前、中国の日系自動車メーカーの工場でストライキが起こった。そのとき読んだ記事は、「困った。これをどう抑えつけるか」という論調で書かれており、びっくりした。中国の労働者が賃上げを求めると日本で何が起こるかということを、読者であり労働者でもある多くの日本人が理解できていない事実を示す例といえる。

どうして日本の労働者の賃金が上がらないのか。世界中の企業がもっと安い労働力を求めて、人件費の安い国に生産拠点を移しているからだ。いわば、労働者は「労働力のダンピング競争」をさせられている状態だ。したがって、今とても安い賃金で働かされている海外の労働者が「こんなのは我慢ならん」と言って、賃上げを強硬に要求し賃金が上がるならば、「ダンピング競争」が緩和されて、日本の労働者にとってもプラスに作用する。

多くの日本人に「自分は賃労働者である」という客観的な認識があれば、「中国の日系自動車メーカーでストをやっているのか。工場のスト、もっとやれやれ」と、応援する論調になるはずだ。「困ったなあ」となるはずがない。そこで「困ったなあ」と考えてしまうのは、いつの間にか経営者目線、資本家目線になってしまっているからだ。

資本主義の構造を理解できていないために、労働者の立場であるにもかかわらず、「エア経営者」「エア資本家」の目線になっている人が日本にはどれほど多いことか。滑稽なことをしていると自覚したほうがいい。

昨今の「働き方改革」についても、19世紀の工場法を見れば、資本家の側による労働者の救済措置が昔からあったことがわかる。それは資本主義のある種の必然なのだ。あまりに搾取しすぎると、搾取する相手がいなくなって、資本主義が成り立たなくなるからだ。

今、中流階級の再生産ができなくなってきている。消費が旺盛な中間所得層でも少子化が進み、人口が減少している。すると購買力が減退して、企業活動が立ち行かなくなる。それが働き方改革を動かしている最大の要因だ。工場法にしろ働き方改革にしろ、労働者側が求めたというよりも、資本家側が「搾取しすぎるとかえってマズい」と考えた結果といえる。

ただ、工場法の時代と違って現代では、安い労働力、使い捨ての労働力がこの国で得られなくなったとなれば、「ほかの国に行って見つければいいや」という話になる。そういう意味では、いっそう野蛮なことが起きている。

長いプロセスを経て、日本では労働組合の弱体化が進んでいる。ターニングポイントだったといわれるのが、中曽根康弘政権における国鉄の分割民営化。国鉄の累積赤字問題の解決よりも、当時日本最大の組織力を誇った国鉄の労働組合を潰すことが実はいちばんの目的だった。

国鉄の労働組合がストを打って首都圏の通勤電車を止めたとき、国民がどういう反応をしたか。「迷惑だ」「いいかげんにしてくれ」というものだった。「公社の職員や役所勤めの連中は、競争がなくて怠けているくせに、権利ばかり主張してけしからんやつだ」と。揚げ句の果てに「ストで電車が止まるだと、ふざけるな」と。

そういう受け止め方しかできない労働者は、すでに資本家の目線に染まってしまった労働者だ。結局、国営企業をみんな民営化してしまい、誰が痛い目に遭うのか。労働者階級全体が痛い目に遭った。自分で自分の首を絞めることでしかないと、全然わかっていない。

「民営化すれば、サービスがよくなる、料金が下がる」という論理でおおむね国民の支持を得て、新自由主義的な手法が断行されていった。現代でいえば、ＴＰＰ（環太平洋経済連携協定）やＦＴＡ（自由貿易協定）が導入されるときのバカみたいな報道もそっくりだ。「牛肉が安くなるからいいじゃん」「駅員が感じよくなるからいいじゃん」と、表面的な変化にとらわれて、本質の次元で何が起きるのかわかっていない。

『資本論』にここまで詳しいことは書かれていないが、やはりこれも、資本主義社会とその階級構造がわかっていて初めて理解できる話だ。

生産性至上の危うい思考

現代の日本人は、経済的な価値を追い求める「生産性」が思考のベースになってしまっている。最近では新型コロナウイルスの影響で在宅勤務が普及したが、「生産性が上がったか、下がったか」という軸でばかり議論される。勤務しながら子育てできるなど、経済的な価値で測れないメリットも、もっと評価されていいはずなのに。

生産性が中心という世の中の価値観が最も極端な形で表れたのが、障害者福祉施設「津久井やまゆり園」で起きた大量殺人事件だろう。抵抗できない相手を狙った大量殺人事件はこれまでにもあった。だが、今回の植松聖被告が決定的に違うのは、自分の犯行を正当化する極端な持論を信じている点だ。生産性至上の考え方が、ここまで来てしまった。

現代の労働者を取り巻く環境は、労働組合が弱体化して機能せず、賃金も上がらないというもの。どう行動したらいいか。まずは、「逃散（ちょうさん）」を思い出すことだ。江戸時代以前から、領主の搾取がひどいと農民は逃げ出していた。搾取から逃れる伝統的な手段だ。

私はブラックバイト問題の話を聞いて、理解ができなかった。大学の定期試験があるのに、「店を開けなかったらどうするんだ」と言われて、無理やりシフトを入れられてしまうなどという。そんなのは逃げ出せばいいだけだ。

ちょうど最近、東京女子医科大学病院の看護師たちが、コロナ禍の影響でボーナスが出ないため、一斉に退職する意向を表明したらしい。それで病院が困るというなら、困ればいい。迷惑をかけてはいけないなどと考える必要はまったくない。どんどん逃散すればいい。そうしたほうが社会は健全になる。

過労死の問題も同じことだ。世間的に「優秀」と呼ばれる人が、「おまえは仕事ができない」といじめられてうつ病になり、異常な長時間労働に耐えられなくなって命を絶ってしまう。勤勉でまじめな人なのだろうが、本当の意味での勉強とは何なのだろうかと考えさせられる。現実の世の中がどういう仕組み、構造になっているのかを知ることこそ、本当の勉強ではないか。そのための書物として、『資本論』ほどすばらしいものはない。

（構成・佐々木亮祐）

【ポイント】

①「エア資本家」目線を脱せよ
② 資本主義社会の構造を学べ
③ ひどい搾取には逃散で対抗

白井　聡（しらい・さとし）

1977年東京都生まれ。早稲田大学政治経済学部政治学科卒業。現在、京都精華大学教員。『永続敗戦論　戦後日本の核心』『属国民主主義論』（共著）『国体論　菊と星条旗』など著書多数。

コロナの「現在地」を探る

青山学院大学教授・飯島　渉

いったい今、「起承転結」のどこにいるのか？

新型コロナウイルス感染症が収まりそうもない。7月下旬、世界での感染者は約1620万人、死者は約65万人となった（7月27日現在）。2020年初めに顕在化したこの新興感染症は、最初は中国の問題かのように見えた。武漢市や湖北省での感染が拡大する中で、日本での関心は、もっぱら武漢市からの帰還と横浜港のクルーズ船の動向に集中した。

しかし3月には、韓国や日本、欧州でも感染が拡大し、WHO（世界保健機関）はパンデミックを宣言した。とくに、イタリアとスペイン、英国での被害が目立った。

日本でも4月に緊急事態宣言が出され、可能な限り自宅で仕事や生活をする行動変容が求められた。

日本での感染の拡大はかなり抑制され、5月には緊急事態宣言も解除された。こうした経緯から、「起承転結」でいえば「転」あたりにいるのでは、という想像に至ったのではないか。

実際には、米国での感染が再び拡大し、ブラジルなどの南米諸国、インドや南アフリカなどでの感染の拡大が止まらない。「米国の失敗」（感染者約423万人、死者約14万7000人、7月27日）は明らかである。こうした中で、日本でも東京を中心に再び感染が顕在化し、予断を許さない状況になってしまった。

感染症と人類の闘いには、長い歴史がある。人類は、時に感染症から大きな被害を受けながらも何とかそれから逃れることに成功してきた。典型的なのは天然痘である。その起源には諸説あるがインド起源説が有力で、シルクロードを経由してユーラシア大陸の東西を席巻し、15世紀末以後、「コロンブスの交換」によってアメリカ大陸に持ち込まれインカ帝国やアステカ帝国を滅ぼし、スペインやポルトガルによる植民地化の要因となった。日本の古代国家を襲った疫病の1つも天然痘だった。

他方、天然痘は人類が唯一制圧に成功した感染症である。一度かかるとその後はかからないことも広く知られていたので、わざと天然痘にかかる「人痘」が世界各地で行われた。

もっとも、これは逆に天然痘を蔓延させた可能性がある。18世紀末、英国のジェンナーが牛痘による種痘を開発した。人間がかかっても弱毒な牛の天然痘にわざとかかって、感染を抑制したのである。

人類は20世紀後半、天然痘の恐怖から解放された。WHOやCDC（米疾病対策センター）のイニシアチブの下、東西冷戦のさなかに進められた天然痘根絶プログラムによって、毎年1000万人以上の人がかかり200万人もの人々が亡くなっていた天然痘は根絶された。蟻田功氏をはじめとする多くの日本の医師や技術者が、アフリカをはじめとしてさまざまな地域で尽力したことも忘れがたい。

天然痘の根絶は、種痘という優れた方法によって人類が人為的に集団免疫を獲得し、ウイルスを根絶したことで実現した。ワクチンの開発が重要であると同時に、供給や接種のために国際協調が必要だという教えでもある。

結核というレッスン

人類史の中で多くの人々に感染し、生命を奪ってきた結核、はしか（麻疹：ましん）、インフルエンザなどの感染症も、しだいに抑制されるようになった。結核の抑制には、予防接種であるＢＣＧとストレプトマイシンなどの抗生物質による治療が大きな役割を果たした。

意外に知られていないので紹介しておくと、上皇陛下は、１９５３年に結核と診断され、ストレプトマイシンなどによって治癒した経験をお持ちである。このことは、結核予防会創立７０周年の全国大会での「おことば」の中で明らかにされた。ちなみに、叔父の秩父宮は、同５３年、結核によって５０歳の若さで薨去された。

結核対策にはお国ぶりが反映され、栄養条件の向上がより重要だという見方をとる国も少なくない。そのため、米国などはほとんどBCGを行ってこなかった。このことは、新型コロナウイルス感染症の感染率や死亡率を下げている要因はBCGだという主張によって広く知られるようになった。

当否は明らかではないが、日本はそのため新型コロナウイルス感染症の影響が比較的小さいという主張もされている。しかし、そうした主張の多くは、1945年から72年の米軍統治下の沖縄でBCGの接種は行われていなかったことを忘れている。

日本では現在、生後5カ月から8カ月の新生児に対して1回の接種が行われている。しかし、結核の発症を完全に抑制することはできず、2018年にも患者約1万6800人、死者約2300人を数える。7月下旬の段階で、日本における新型コロナウイルス感染症は、18年の結核よりも患者は多く、死者は少ない。こうした中で、結核があまり意識されないのは、病状もわかっており、また、ワクチンや治療薬が確立されているからである。

新型コロナウイルス感染症も、天然痘や結核のように抑制の進む時期がやってくる。感染症の歴史から見れば、ワクチンや治療薬の開発がターニングポイントとなるだろう。しかし、それまで行動変容によって時間を稼ぐ必要がある。「疫病史観」の役割は、歴史上、似たようなことがあったということを指摘して、「いずれは収まりますよ」と言うことではない。むしろ「正当に怖がる」ための知見を提供することである。

この言葉は、地球物理学者で俳句や随筆でも著名な寺田寅彦の文章からきている。彼はかつて浅間山の噴火の危険性を正しく恐れることができなかったと反省した。「小爆発二件」という随筆で「ものをこわがらな過ぎたり、こわがり過ぎたりするのはやさしいが、正当にこわがることはなかなかむつかしいことだと思われた。(後略)」(『文学』昭和10年11月、小宮豊隆編『寺田寅彦随筆集』第五巻、ワイド版岩波文庫)と語っている。それが、「適切に恐れればよい」という言葉として独り歩きしている。

現在、必要なのは、歴史に学び、新型コロナウイルス感染症を「正当に怖がる」ことである。いったい今、私たちはどのステージにいるのか? 「8割おじさん」の異名をとって私たちに行動変容を促した西浦博氏は、日本循環器学会主催の山中伸弥氏との対談の中で、現在は「野球でいえば、2回表でウイルス側の攻撃中」と述べている。

私自身は、中国での感染拡大がいったん収束し、日本での抑制状況を見て、「起承転結」の「承」くらいの段階かと思っていたが、どうも甘かった。ことほどさように、歴史から学ぶこともなかなか難しいのだ。歴史学者としての反省の弁である。

【ポイント】

①天然痘根絶の重要な教え
②正当に怖がるための知見が必要
③コロナ流行はまだ初期段階か

飯島　渉（いいじま・わたる）

1960年生まれ。横浜国立大学教授などを経て、現職。長崎大学熱帯医学研究所客員教授。専門は感染症の歴史。著書に『感染症の中国史　公衆衛生と東アジア』『感染症と私たちの歴史・これから』。

「プランB」を策定しよう

経営コンサルタント・大前研一

いまだに「秋口にはコロナ禍が去っている」というメンタリティーの企業経営者が多いことに驚いている。多少深刻に考えている経営者であっても、「1年ぐらいで終わる」と思っている。しかし、いずれも甘い。私は経営者に対してプランB（最悪の事態に備えた事業計画案）を策定するようアドバイスしている。プランBの前提は、今のような状態が最低でも3年続くというもの。世界の主要国35億人以上に対してワクチンを接種できるようになるのは最速で3年、5年かかるかもしれない。しかもワクチンの効果は持続しないかもしれない、と言う専門家もいる。

人の移動が大幅に制限された今のような経済状態が長期にわたって続く。3～5年も続けば、もはや元には戻らない。この前提でプランBを策定するべきだ。

100年前の教訓

コロナ危機に対し、すでに日米政府は史上最も大胆な経済対策を打った。日本ではGDP比で世界最大の200兆円もの経済対策を打ち出した。米国では6月の臨時予算だけで、2019年1年分の赤字を出した。財政規律を優先するドイツでさえもEU（欧州連合）の92兆円の財政支出に賛成した。

大胆な経済政策を進めるために各国とも通貨発行を増やしているが、先ほどの前提で行けばマネー供給が増え続ける状態が最低3年続く。将来はハイパーインフレになる事態も覚悟するべきだろう。

これは過去にも起きた。第1次世界大戦勃発後、それまで100年近く守られてきた金本位制が停止され、各国の中央銀行は金の保有量とは無関係に通貨を発行できるようになった。輪転機を回し続けてきたわけだ。その結果、バブルが大きく膨らみ、最後には大恐慌になった。

その後、ケインズ政策を教科書どおりに実行したニューディール政策はほとんど効果がなく、米国が立ち直るきっかけになったのは戦争だ。世界はナチスなど全体主義者たちを相手に〝聖戦〟という名目で破局に向かっていった、という厳然たる事実がある。

同じことを繰り返さないためには、リーダーの役割が重要だ。では主要国を率いる政治リーダーが、当時よりも優秀といえるか。そうは思えない。歴史に学ぶのであれば、加速度的に事態が悪化していくことを覚悟しなければならない。


では企業経営者は何をするべきか。まず業界によっては救いようがないほどのダメージを受ける、ということを覚悟してほしい。18世紀後半に産業革命が起こったときに、「ブルータルフィルター」という言葉が生まれた。非常に過酷な情け容赦のないフィルターで、通り抜けられないものは死に絶える。こういうふうな言葉が産業革命のもたらす社会的変化の中で出てきた。

死に絶える業界は何十とある。例えば移動が厳しく制限されている中で多くの航空会社が潰れるだろう。インバウンドで生活をしていた低価格のホテルや旅館もくぐり抜けられない。観光でいえば、富裕層を相手にしていた滞在型リゾートやクルーズ船なども生き残れない。自動車だって厳しい。移動に関わるようなビジネスは、おしなべて厳しくなるだろう。

フィルターを通り抜けて、21世紀型になれるか。あるいは19世紀型の古いタイプの企業に逆戻りするか、という岐路に立たされている。大量生産、大量移動、大量消費を前提とした20世紀型企業は消えていかざるをえない。

21世紀型企業を分析した書籍として紹介したいのが『大前研一「新・資本論」』（2001年刊）。副題は「見えない経済大陸へ挑む」で、英語で書いた書籍を東洋経済が日本語訳したもの。21世紀の経済には目に見えない大陸が3つある。国境の意味がなくなってしまうボーダーレス経済。インターネット内のサイバー経済。それから時価総額を上昇させ、M&Aで企業規模を拡大させていくマルチプル経済。この3つの新しい経済を理解できる経営者しか21世紀には通用しないと書いた。

継ぎ足し発想ではダメ

米中ではコロナとは関係なく、多くの企業が見えない経済大陸に対応し、21世紀型に変貌している。例えば中国では顔認証技術が日進月歩で進化しており、決済はアリババ、テンセントが寡占している。もはや日本とは比較にならないほど21世紀型だ。

米国もGAFAやマイクロソフトなどのプラットフォーム企業が大きく発展。多くのハイテク企業がコロナ禍の中でも時価総額を大幅に拡大させている。ちなみに、『新・資本論』ではプラットフォーム企業が富を蓄積するという点にも、世界で初めて触れた。

それと比較すると日本は圧倒的に出遅れている。大企業が邪魔をしているだけでなく、古い規制を死守するような業界や役人の主張がまかり通っているからだ。遅れを一気に取り戻そうと明確な方針を示す政治リーダーもいない。こうなると、企業は政治に頼ることなく、独自のビジョンをもって過酷な状況に立ち向かう必要がある。

過酷なフィルターを乗り越えて生き残るために何より意識するべきは、「リアルからオンラインへのシフト」だ。通勤、通学、通院はそれぞれ在宅勤務、遠隔教育、遠隔診療にシフトする。小売り、外食など集客を前提としていたビジネスは、EC、フードデリバリーへシフトしなければならない。

しかも、リアルでやっていたことにオンラインビジネスを継ぎ足す、という発想ではダメ。オンラインを前提としたゼロベースのビジネスモデルを設計することが求められる。例えばオフィス通勤を減らして在宅勤務にするのではなく、オフィスのない会社をつくる、という発想が必要だ。キャンパスの授業をオンラインで再現するのではなく、キャンパスがないことを前提に授業を再構築しなければならない。私は22年前からオールサイバーで経営研修を始め、その後大学、大学院を経営しているが、今回の騒動では何も影響を受けなかった。世界中に散らばった受講生は普段と何も変わらず粛々と受講を続けていた。

今後は人々の生活様式も変わっていく。在宅勤務は「一時的な緊急避難」ではなく、「新常態」になる。そうなると家の設計も見直されていくだろう。日本では、住宅はプライベート空間、それに対して仕事はオフィスでやる、と切り分けている。ところが米国では、住宅にホームオフィスとしての書斎を作るのが当たり前。なぜならば、書斎を作ってそこに投資を行うと免税される優遇措置があるから。夫婦共働きであれば、2人が別の書斎を持っているものだ。この「書斎減税」は日本でも20年前に導入するべきだったが、今からでも検討するべきだろう。

これによって、都心集中型から郊外分散型に変化していく。多くのビジネスパーソンを苦しめてきた通勤ラッシュも緩和される。プランBを前提に考えれば、大きな変化はまだ始まったばかりなのだ、と心得ねばならない。

【ポイント】

① 世界の政治・経済は大混乱へ

② 既存ビジネスの再定義が必要だ

③「21世紀型企業」へシフトせよ

大前研一（おおまえ・けんいち）

1943年生まれ。米マサチューセッツ工科大学大学院で博士号（原子力工学）。日立製作所を経て、マッキンゼー日本支社長、アジア太平洋地区会長を歴任。ビジネス・ブレークスルー大学学長として日本の将来を担う人材の育成に力を注ぐ。

時空を超えて得たもの

東京女子大学教授・黒崎政男

「ミネルヴァのふくろうは夕暮れに飛ぶ」。これはヘーゲルの有名な言葉である。知恵の神の従者であるふくろう（哲学）は、夕暮れにしか登場せず「哲学はいつも遅れてやってくる」。事態が終わってしまった後に出てきてその本質を語る、という意味だ。喫緊の事態はいまだ現在進行形なのだが、それでも哲学は、コロナ問題をどう考えたらよいのか、その視座をある程度提供することはできるのではないか。曖昧だった事象の構造を示せると思われる。

21世紀に生きるわれわれにとってはあまりにも当然のことだが、われわれはこのコロナ禍から自分を救ってくれるのは、宗教でも思想でもなく、医学を中心とする科学的知見であり、科学こそが、コロナの正体とその対処法を突き止め、乗り越えられると信じている。

一方、宗教界の対応はどうだろう。「3月下旬のイタリア。コロナ患者の臨終に終油の秘跡を素手で行った神父ら聖職者たち数十人が感染して次々と命を落とした」「日本の神社・寺院で身を清めるはずの手水舎は、感染のおそれがあると科学者に指摘され使用禁止となった」などさんざんである。

今や指導的立場になったのは免疫学者や感染症研究者など、自然科学者である。歴史学者ユヴァル・ノア・ハラリはコロナ禍に関して、私たちのヒーローは「死者を埋葬し災厄を天罰と解釈する聖職者」ではなく「人々の命を救ってくれる医療従事者」そして「実験室の科学者たち」だ（20年3月28日付英紙ガーディアン）と指摘している。

さかのぼれば、このような発想の転換は、1755年のリスボン大地震が原点であり、この大厄害をきっかけに、人類の価値観が「神のご加護に頼る」から「人類の英知で解決」に変わったのだ。大震災は「神の恐るべき威力」「日常の行状に対して警鐘を鳴らしている」という当時の一般的見方に対して、カントは地震が「災厄」や「天罰」ではなく、自然現象だとした。これが理性（具体的には数学と科学）を用いて、世界を予知しコントロールするという世界観の本格的な始まりである。

そしてこの世界観は、人間とは何か、という自己理解にも大きな影響を与えている。以降じわじわと確立されてきた人間観（生命観）とは、人間は魂や霊的存在であるというより、科学的知見のとおり、治ったり死んだりするような機械的な存在、つまり、われわれはDNAという設計図によって精妙に作り上げられた機械的存在だというものだ。

科学者は神ではない

科学的解明が、必ず新型コロナウイルスの脅威から人間を守ることができる、と信じられているその根拠は、人間は精妙な物質的・機械的存在という観念だ。あらためてわれわれはそれにはっきりと気づかされた。

では、科学は宗教に代わって、われわれの進むべき方向を示唆することができるのだろうか。ここで注意しなければならないのは、問題の全貌を、科学者たちが神のように見通せるわけではないことだ。1日何人の感染者が出たら営業自粛にすべきだとか、GoToトラベルキャンペーンを中止すべきか否かなどは、科学的解明から直接導き出される事実判断ではなく、価値判断である。

ライプニッツは「ペスト対策の提言」（1681年）で、当時猛威を振るったペストに関して、徹底的な隔離、封鎖、往来禁止を提言し、極めて先見の明のある感染症対策を打ち出していた。今日のコロナ対策は、あたかもこのライプニッツの意見の後追いのように見えてきており、「確実な予防措置はいまだに医師諸氏によって見いだされていないので、政治に基づく予防措置に訴えざるをえない」というあり方は、感染症の本質を鋭くうがっている。

ライプニッツが述べたように、「どうすべきか」を決定するのは医師諸氏ではなく政治であって、これは（科学が彼の時代からは圧倒的・飛躍的に進歩したとはいえ）科学の限界を示すものではなく、科学の基本的性格なのである。

これはマイケル・サンデルが『これからの「正義」の話をしよう』において示した命の軽重を問う「トロッコ問題」と類似した問題である。つまりベンサム的功利主義か、カント的義務論か、道徳感情に委ねるか。政治とはそれらを含む価値判断の問題だということなのだ。人間とは？　社会とは？　生きるとは？　幸せとは？といった、科学の扱わない世界観（哲学）が必要とされるのである。今日、世界全体がこの哲学的・倫理的難問に現実的に直面してしまっている。

コロナ禍の現況を鋭く照らし出しているのは、距離感の問題である。人と距離を取らなければならないという初めての課題に、全員が向き合わされているのだ。接触（コンタクト）と遠隔（テレディスタンス）という2項の対立だ。

感染症は何らかの接触によってうつるのだから、その対策は「距離を取る」という構造を持つことになる。直接性や接触が有していた価値、すなわちフェース・トゥ・フェースで対面することの豊かさ、スキンシップや「触れ合い」といった従来の価値は、今後しばらく封印されることになる。

「ソーシャルディスタンス」や「マスク」が象徴する距離の強調は、時空間の変容へも向かった。Ｚｏｏｍを使ったテレワーク、授業のウェブ化、リモート映像では、もはや場所という座標は意味を持たない。さらに身体移動に伴う距離や時間も無化された。これによって何が消滅させられたのか。

「遠隔」ということは、煎じ詰めれば「今・ここ」という時空間の制約からの解放である。「今・ここ」での出来事は「後でも・いつでも」、あるいは「その場にいなくても・どこでも」できる。

コロナ時代に一気に広まった「テレワーク」は、デジタルテクノロジーによって驚くほどの規模で実現された。本来、「空間的遮断」はそのまま「情報の遮断」を意味していた。人と話すには同じ場にいなければならなかった。

しかし、２１世紀の今日では、物理的隔離はありながら人間同士のコンタクトは失われず、実体験・実作業を代替してくれるデジタルテクノロジーが社会を救っている。しかし一方で、「今・ここ」性からの解放は、「場所感の喪失」とともにもう1つ、生身の身体的存在であることからの疎外をもたらしている。

コロナから逃れるため、われわれは時空間を超えるテレワークへと脱皮したのだが、それは身体を置き去りにすることでもあった。身体とは、罹患《りかん》し、場所と空間に縛られる極めて物質的・直接的存在である。コロナの蔓延という状況はまさに、この身体の直接性・有限性（モータリティー）と情報の間接性・非物質性が、人類の発展にとってコインの裏表であることを明らかにしてくれたのではないか。人間という存在の物質であり精神でもある両面を、である。

身体の制約を乗り越えて意識だけが自由に活動する、というこの分離は、あたかも進化ともみえる事態を生んでいる。そう、人間は身体的存在であるがゆえに感染の問題を発生させたのだが、それを裏返すかのように、コロナを契機として身体性を超越した「交流」を一気に獲得した、とも考えられるのだ。

【ポイント】
① ライプニッツが提言した本質
② 科学の扱わない世界観が必要
③ 身体性を超越した交流を獲得

黒崎政男（くろさき・まさお）
１９５４年生まれ。専門はカント哲学。人工知能、電子メディア、カオス、生命倫理など現代的諸問題を哲学で解明する。『今を生きるための「哲学的思考」』『身体にきく哲学』など著書多数。

不安や疑問に応える5つのキーワード

科学的事実では消えない、コロナ時代の不安や疑問。それに応えてくれるのが哲学である。今、知っておくべき5つのキーワードを解説する。

①人を不安にするのは、事柄それ自体ではなく、それに関する考え方である(エピクテトス)

古代ローマ時代のストア派哲学者の言葉。死は決して恐ろしいものではない。むしろ「死は恐ろしい」というわれわれが死について抱く考え方、それこそが恐ろしいものの正体だ、とする。確かに「私が死ぬ」ことは絶対に体験できない。だから、自分の死は決して恐ろしいものではない、というのである。このエピクテトスの言葉は、われわれを襲っているコロナ不安についても当てはまる。

例えばコロナ禍についての考え方として次のような情報が流された。「このまま何の対策も取らなければ、日本の感染者数は最大で84万人、死者数は42万人に達するおそれがある」「接触8割減を達成できなければ、日本もあと3日でニューヨークのように流行が爆発する」。これらは実際のコロナの流行（パンデミック）に先立って情報として流行（インフォデミック）し、人々を不安に陥れた。

事柄それ自体ではなくて、それについての考えこそ人々を不安にする、というのは今回のコロナ不安の問題の核心を見事に言い当てている。正しく恐れる、というのはとても難しいことだ。

② 自然に帰れ（ルソー）

フランスの哲学者ジャン・ジャック・ルソー（1712～1778）の思想全体を示す言葉。人間は本来、与えられた自然環境の下で自足的に生きていたが、文明化によって堕落した。文明化こそが、不平等を生み自由をなくし相互不信を発生させる諸悪の根源だとするものである。

ルソーは1755年に起きたリスボン大震災をめぐって思想的論争が起こった際、「この被害の深刻さは都市の一角に大勢の人が集まって暮らしていることから起こったものだ」と都市の過密化を批判した。

ルソーのこの意見が従来どこか的外れなものに感じられてきたのは、現代の私たちがそれだけ、人類にとってごく最近の出来事でしかない「都市化」が人類のあるべき当然の姿だと前提にしてしまったからだ。

確かに、すべてが東京圏に集中する一極集中も日本のコロナ禍の大きな要因の1つで、経過は大都市部、とくに東京がいかに早く感染拡大に見舞われ立ち直りが遅れたかを、如実に見せてくれた。「災厄が深刻化するのは都市の過密による！」とルソーの批判は説得力を持つようになった。

コロナ禍は、大都市中心という価値観を揺るがし始めている。それと同時に、人間と環境の関係についても問い直しが始まっているようだ。

③ 日本の鎖国（カント）

ドイツの哲学者イマヌエル・カントは『永遠平和のために』（1795年）で、「世界市民」という理念に基づく永遠平和の構想を打ち出した。この「世界市民」という理念は、後に国際連盟（1920年）が設立されたときの精神的支柱で、ひいては国際連合、欧州統合の基盤となった、コスモポリタニズム、ないしグローバリズム的発想だ。

しかし他方で、カントはこの書の中で、江戸時代の日本の「鎖国」政策を高く評価した。ヨーロッパ諸国がぶしつけに諸国を訪問（侵略）している姿を見れば、日本が鎖国してヨーロッパから自らを守ったのは当然だし評価できる、としたのである。

ここには、グローバリズム対ナショナリズムをどう考えたらいいかの深い示唆がある。今回のコロナ禍でヨーロッパはEU（欧州連合）の国境撤廃の根本的理念を捨てて、国境を封鎖した。

現在でも世界各国はほとんど鎖国状態になっている。ドイツの哲学者マルクス・ガブリエルは「合理的だったドイツを、ナショナリズムが覆う」（20年6月14日付毎日新聞朝刊）としてこのコロナ禍での各国のナショナリズム的動きを批判している。

新型コロナウイルスの感染爆発は、世界を鎖国化に向かわせるのか、人類はその分断を乗り越えるのか。民族主義の紛争や移民問題も含め、地球は大きなパースペクティブの見直しを迫られている。

④ 功利主義(ベンサム)

英国の哲学者ジェレミ・ベンサム(1748～1832)によって主張された説。「最大多数の最大幸福」と言い換えられたりするが、つまり、全体的な利益を考慮してそれが最大になるように行為すべきだ、というもの。今回の感染爆発によって、イタリアでは深刻な医療崩壊が起こり、「命の選択」という過酷な状況が発生した。

それぞれにとって、「私」はかけがえのないものだ。しかし今回のコロナ禍においては、そのかけがえのない「命」が、老齢であるか、基礎疾患があるか、などの条件によっては、「選別される命」であり、放置され救ってもらえない可能性のある「私」であることを、まざまざと見せつけられた。

さまざまな極限状態においては、「かけがえのない私」が「命の選別を受ける」存在であることが露呈する。酸素ボンベがなければ助からない患者が10人いるが、ボンベは3本しかない。どの患者を〝助けない〟べきなのか？　新型コロナウイルスと闘う医師たちが「命の選別」に取り組まざるをえない。

医療は一人ひとりに向き合いその生命を救うことが本来の姿だったが、大規模災害である感染症の場合、医療現場のキャパシティーというやむをえぬ制約から、過酷な功利主義的原理を採用せざるをえない局面に立たされている。

⑤ パノプティコン（M・フーコー）

一望監視装置。ベンサムが、理想の刑務所のあり方を構想したもの。中央看守がいる塔を取り囲むように独房を配置して、すべての囚人をいつでも見渡せるようにした構造。20世紀にフランスの哲学者、ミシェル・フーコー（1926〜1984）が『監獄の誕生』の中で、監視という権力構造を論じるために取り上げて有名になった。

囚人の側は、今、自分が見られているかどうかははっきりとはわからない。しかし「見られているかもしれない」という意識が、「悪いことはやめておこう」という意識になって、更生に結び付くシステムになっている。

監視の視線を自分の意識に内面化することが「自分を律する」道徳観、良心のもとになり、倫理観を成立させているのだということを暴き出したのがフーコーだ。

これはあくまで思想上の話、夢の世界の構想だったが、近年、デジタルテクノロジーの進展によって、パノプティコンの監視体制が一気に現実のものとなった。監視衛星や街中の防犯カメラで見られているだけでなく、書き込んだSNS（交流サイト）、キャッシュレスカードの使用履歴、ウェブ上での検索状態や購買品目など、すべてが履歴となって残され、行動はすべて電脳世界に書き込まれて、紙の時代では不可能だった「私」の情報がサイバー空間に一括して登録される。

コロナ対策においては、バイオメトリックス認証の形でわれわれの行動、スマホの位置情報、他者との接触状況を示す国家制作のアプリまで登場し、ありとあらゆる「私」の存在が監視下に置かれるようになった。「監視の歴史」においてこのコロナ禍は歴史の重大な転換点になるかもしれない。


（東京女子大学教授・黒崎政男）

今こそ生きる意味を探れ

宗教学者・島田裕巳

日本では平成の30年の間に宗教離れが急速に進んだ。文化庁の『宗教年鑑』に出ている数字を追っても、どの宗教も信者は激減している。神道系は約1500万人、仏教系は約2300万人減った。日本人は宗教に意味を見いだせなくなっている。

確かに長寿社会が実現され、死後、自分の魂はどこに行くか？ に人々は関心を持たなくなった。貧しかった時代には現実の世界が苦しく、せめて亡くなった後には浄土に行きたいと願った。ところが社会が発展し現世の暮らしがよくなると、それ以上にすばらしい来世をイメージできなくなった。僧侶でさえ浄土を信じていない。

日本の新宗教は、戦後の高度経済成長期に、農村部から都市に移動した人たちを信者に取り込み急成長したが、信者の高齢化などで衰退している。新宗教が信者に約束した現世利益も、経済的豊かさの実現で魅力を失ってしまった。

日本では新型コロナウイルスの感染拡大を防ぐため、3密を避けるようになった。葬儀に人を呼ばなくなり、葬儀の簡略化がさらに進んだ。法事などを先送りしたり、やめたりする動きもある。仏教が信者をつなぎ留める唯一の手段だった葬儀の担い手という立場は、コロナによって失われた。これを機に、日本人と仏教との関係はさらに希薄化していくはずだ。

宗教の急速な衰退は海外でも同じである。例えば、西ヨーロッパでは日曜礼拝に信者が集まらず、消滅の危機に直面する教会がたくさんある。基本的に、先進国では宗教の世俗化、無宗教化に突き進んでいる。

一方で、経済成長が続く国ではプロテスタントの福音派が台頭している。これは、戦後日本で新宗教が信者を獲得したのと共通する現象であり、産業構造の転換による都市化が主な要因だ。

ただし、経済成長に歯止めがかかると、福音派の伸びは止まる。米国ではトランプ政権誕生に福音派が貢献したのは事実だが、一方で無宗教も広がっている。

いま信者を増やしているのは、イスラム教だ。とくにアジアやアフリカの人口増に伴い、信者が増え、欧米への移民にもイスラム教徒が多い。世界の人口の4分の1がイスラム教徒である。

イスラム教は聖と俗が一体化しており、キリスト教のような世俗化は起こりようがない。むしろイスラム金融の発展が示すように、現代の資本主義を柔軟に取り入れている。これは金儲けや現世での享楽を否定しないイスラム教からすれば当然の動きだ。他方で、その現代化・資本主義化は、これまでのイスラム教とは懸け離れており、変質していく可能性がある。

コロナと宗教

今回のコロナ禍では、人の密集を避けるために集会の規制が行われた。そもそも宗教は人が集まることで生まれる熱気や陶酔が重要だ。フランスの社会学者、エミール・デュルケーム（1858〜1917）は、宗教の起源は人が集まったときの熱狂や狂騒状態が起源だと喝破した。つまり、宗教にとって人が集まるのは本質的なことなのだ。それができなくなったのは決定的な痛手である。

もちろん布教や儀式でインターネットを使うなど別の方法も試みられてはいるが、効果を上げていない。組織がいったん止まってしまうと、元のように動かそうとしても難しくなる。葬式と同じで、簡素化に振り子が振れると、もう後戻りが難しい。

イスラム教では5月にラマダン（断食月）が終わったが、イスラム教が定める五行の1つである聖地メッカへの巡礼はサウジアラビア国内に限定された。巡礼ができないのは、神の教えに背き、信仰の根幹が揺らぐことにもなる。メッカ巡礼は、イスラム圏から大量の人が集まることで仲間意識を育んできた。これが長期化すれば不満がたまり、イスラム世界の不安定化につながりかねない。

2020年3月、イタリアで感染爆発が起きていたまさにそのとき、ローマ教皇は、「聖職者に対し、外出して新型コロナ患者と会うように」と呼びかけた。教皇は「われわれの司祭らが外へ出て病める者に会いに行き … 医療従事者やボランティアらの任務に付き添う勇気を持つよう、主と司祭らのために祈りましょう」と勧めた。

カトリックでは「終油の秘跡」といって、亡くなる人に聖職者がオリーブ油を塗って最期の許しを与える儀式がある。この儀式は信者の罪を浄（きよ）め、天国へいざなうためのものだ。教皇は死に際して不可欠な儀式を実践するよう聖職者に求めたわけで、それによって聖職者に多くの犠牲者が生まれたが、宗教の意味を問い直させる出来事だった。

そこでは宗教本来の形が維持されているものの、それは例外的で、死に際して信仰が絶対に必要だということはなくなってきた。その中では、宗教のバージョンアップ、レベルアップが必要だ。現世利益を追求するのではなく、生きる意味や物事の根源的な価値を探る哲学的なアプローチを試みる必要がある。個人の内面を深く突き詰め、いったい何が幸福をもたらすのか、その面の探求がこれからの宗教の課題だろう。

ウイルスも神の創造物

コロナ禍は、現代世界のあり方を考えるきっかけを与えてくれた。多くの宗教では、人間を含めこの世界は神が創造したと考える。そうであれば、コロナウイルスも神が創造したものであるということになる。神の創り出したものには、必ずや意味があるはずだ。その視点に立って事態を見ていけば、いたずらに感染を恐れることなく、冷静に対処できるのではないだろうか。

感染爆発が起きている米国では、15~17年に3年連続で平均寿命が短くなっていた。先進国では極めて珍しい。平均寿命が短くなっているのは、経済格差や医療制度の不備が影響しているとみられるが、今回のコロナ禍はその過酷な現実をいっそう顕在化させたともいえる。

人類は、長い間、感染症と戦ってきた。しかし感染症を根絶することは不可能で、その原因となる細菌やウイルスとは共存するしかない。

日本の宗教の歴史を振り返ってみても、神話の中には疫病が神の祟(たた)りによってもたらされたという記述がある。外来の仏教を取り入れるかどうかで豪族の間で論争が起こったときにも、神と仏のどちらが疫病をもたらすのかが問題とされた。

奈良の東大寺に大仏が建立されたのも、疫病を抑え、国家を安泰にするためだった。一方で、疫病を神として祭る習慣は古くから存在する。もし疫病、感染症が存在しなかったとしたら、日本の宗教は今日のような姿をとることはなかったはずだ。

感染症の拡大という事態に直面して、宗教ははたしてどういう方向に進むのか。その試練を克服することができたとしたら、新たな宗教が生まれるかもしれない。そうした角度から、もう一度ウイルスの流行について考える必要があるだろう。

【ポイント】

① 世界的に宗教離れが深刻
② 宗教は3密が前提だった
③ 宗教のバージョンアップが必要

（構成・長谷川　隆）

島田裕巳（しまだ・ひろみ）
1953生まれ。東京大学文学部卒業、同大学院博士課程修了。日本女子大学教授などを歴任し、現在は作家、宗教学者。日本の宗教や日本人の宗教観を多面的に考察し、多くの著書がある。

「自給率」が問われる時代へ

思想家・内田　樹

国際情勢は、新型コロナウイルスの蔓延によってどう変わっていくのか。予測できるのは米国の凋落と中国の相対的な浮上である。

米『フォーリン・アフェアーズ』誌２０年７月号で政治学者のフランシス・フクヤマがトランプ米大統領を「近代史上、最も無能な大統領」と形容していた。大統領の任期は２１年１月までである。

秋の選挙で負けても、トランプ大統領は感染抑制よりも経済活動再開を優先する政策を転換しないだろう。ということは、米国は感染が抑制できないまま年を越すということである。

米国は今「鎖国」状態にある。米国に入ることができない、出ることができないのである。その影響を的確に予測している人は今のところいない。

例えば、軍略が変わる。20年6月に米空母セオドア・ルーズベルト号で感染者が続出して、作戦行動ができなくなった。狭い空間に大量の兵士を押し込める艦船は感染症に弱い。原子力潜水艦はさらに弱い。

つまり、空母と原潜が「いつ使いものにならなくなるかわからない」という条件下で米軍はこれから作戦行動を取ることを強いられるのである。通常兵器による戦争だと空母と原潜を自由に使える側が圧倒的に有利だが、米軍はそのアドバンテージを失う。

それもあって、外交専門家たちは米国に限らずどの国も当面は大規模な軍事作戦を始めることができないと予測している。

未来像を示せない国

秋の大統領選挙のことしか頭にないトランプ大統領に比べると、中国の習近平国家主席はもう少し長いスパンで政策の適否を検討している。

中国が国家安全法で香港の実効支配に乗り出したのは、今はどの国も積極的な介入で中国を制止する余力がないことを見切ったからだろう。

もう1つ中国が強気になれる理由があるとしたら、それは他国に先んじてワクチン・治療薬を開発できる自信があることだろう。医療支援は強力な外交カードになる。ワクチンが供与された国はすぐに経済活動が再開できるのである。喉から手が出るほど欲しい国が、ワクチン供与と引き換えに「中国のやることに口を出すな」と要求されたら、断ることは難しい。

米国の凋落と中国の浮上という全体的趨勢だけは見通せるが、それ以外は関与するファクターが増えすぎて、未来予測の難しい「複雑系の時代」に入る。

「北京でチョウが羽ばたくと、カリフォルニアでハリケーンが起きる」という例え話がよく引かれる。わずかな入力変化で巨大な出力変化が起きるのが、複雑系である。国際政治についてはこれから、そういう予測しにくく制御しにくいシステムになっていくような気がする。

その中で、日本はどうすればいいのだろうか。これまでのような対米従属一辺倒ではもう対処できない。落ち目の米国は日本を、同盟国としてよりむしろ「収奪すべき属国」として扱うほうが利益が多いと考えるだろう。だが、それに屈して、国富を米国に上納し続けていれば、国力はひたすら衰えるだけである。

激動の時代であるから、指南力のあるグローバルビジョンを提示できる政治家が列国の先頭に立つ。残念ながら、日本には国際社会に向けて「あるべき未来像」を提示できるようなスケールの政治家はいない。

経済について言えば、新自由主義が終わることは避けられないだろう。新自由主義の原則は「選択と集中」である。最も生産性の高いセクターにすべての資源を集中させ、生産性の低い分野は切り捨てる。けれども、この考え方は感染症とは誠に相性が悪い。

感染症のための医療資源の備蓄（マスク、防護服、陰圧室、人工呼吸器など）は、感染症が流行していない期間は収益を圧迫する「無駄」でしかない。そんなものに優先的に予算を分配する経営者はいない。

米国では新型コロナが拡大した時点で、感染症のための医療資源の戦略的備蓄はほとんどなかったことが露呈した。「必要なものは必要なときに必要な量だけ市場から調達すべし」という「ジャスト・イン・タイム生産方式による在庫ゼロ」を久しく経営の金科玉条としていたからである。

そのせいでたくさんの人が死んだ。必要なものを必要なときに必要なだけ市場から調達できないことがあるという「当たり前のこと」を、米国は今ようやく学習したのである。

「医療は商品だ」という市場原理主義もパンデミックで無効を宣告された。米国には無保険者が2750万人いる。彼らは感染してもまともな医療を受けることができない。

だが、貧困層が感染源として残される限り、米国の経済は再開できない。感染は「すべての住民が等しく良質な医療を受けられる」というルールを米国人が受け入れるまで終息しない。だから、「それは社会主義だ」と言って反対する国民がいる限り、米国の「鎖国」は続く。

自前で何とかする仕組み

それでは、ポストコロナ期はどんな社会制度を採用すればよいのか。私見によれば、最優先されるのは、エネルギー、食糧、医療、教育を「自前で調達できる」国づくりである。

エネルギーも食糧も、自前で調達するには困難が多い。けれども、死活的に重要なものの供給がいつ、どういう理由で停止するかわからないということは今回のパンデミックで身に染みて学習したはずである。

米国は医薬品・医療器具を国産化に切り替えた。日本も「戦略的に不可欠なものは自前で調達できる国」を目標とすべきである。得意な金儲け領域に全資源を「集中」

して、必要なものは海外から買えばいいという楽観論がどれほど根拠の危ういものか、もう十分にわかったはずだ。

まずエネルギーと食糧。それから医療、そして教育である。世界水準の教育を自前で行える体制の構築を日本人はだいぶ前に諦めた。少し前までは「エリート育成はハーバードやオックスブリッジに任せて、国内の大学はエリートに頤使（いし）される『二級市民』の育成をすればよい」ということを平然と言い放つ人がいた。金さえあれば世界のどこでも好きな教育が受けられると信じていたのだ。愚かなことである。

明治の日本人たちがどのような思いで高等教育を整備したのか、その思いを忘れたのか。自分たちの国の次世代を担う若者は自分たちの手で育てる。その気概を持たない国民が「先進国」を名乗ろうとは笑止である。

国を維持するために必要なものは、原則として自給自足できるようにすること。実に困難な課題であることはわかっているが、理想としてはそれを目指すべきだと私は思う。

「欲しいものは金を出せば買える」と思い込んでいるうちに、エネルギーも食糧も自給率がどんどん下がり、学校教育の水準は下がり、学術的発信力は激しく劣化した。かろうじて生身の身体を相手にする医療だけは「アウトソーシング」できなかったおかげで、水準を維持できた。

海外から買い付けなくても、海外にアウトソーシングしなくても「必要なものが調達できる」体制づくりはグローバル資本主義からすれば禁忌に類する。しかし、「国が生き延びる」ためにどうするかという話をしているときに、「それでは金が儲からない」と言われても困る。

これからはクロスボーダーで人、物、資本、情報が自由に飛び交う時代ではない。とりあえずしばらくは「人」が国境を越えられない。その環境に適応した最適解を探るしかない。

経済学者の水野和夫さんは「定常経済」を提案している。もう右肩上がりを諦めて、買い替え需要だけで経済を回すのである。株式会社の出資者はその企業の提供する商品サービスが享受できることを「配当」と見なす。株を買うのは投機目的ではなく、企業の存続を願ってのことである。現に、最近になってそのタイプのビジネスモデルが次々と成功している。

新しい事業モデルの誕生

チューズ・ライフ・プロジェクト（以下ＣＬＰ）というネットメディアがある。７月の都知事選挙の前にテレビ局が断念した、候補者たちの討論をネットで実現して知られた。これまではボランティアでやっていた組織を法人化することになった。資金をクラウドファンディングで集めた。先日、その結果を聞いたら、数日で予定の２倍の１５００万円が集まったそうである。

今はコンテンツ制作に大きな予算も大きなスタジオもいらない。企画力があって、「君のところの番組になら出る」という人たちとの信頼関係があれば、テレビ局には作れないレベルの、質の高い番組を作れる。そのことに視聴者はもう気づき始めた。

だから、ずいぶん原始的な方法であるけれど、小口の寄付だけで必要な額をはるかに超える金額を集めることができたのである。寄付した人たちは、これから先、ＣＬ

Pが提供する映像コンテンツを「配当」として受信するわけである。

ネットで新聞社配信の記事を読んでいるうちに「以下有料です」と切られ、読むのをやめるということがよくある。

重要な情報だから課金するという言い分はわかる。しかし、本当に大事な、全国民が知るべき情報には無償でアクセスできるべきだと私は思う。だから、良質なコンテンツを課金なしで配信するCLPのモデルは新しいのである。

天然酵母でパンとビールを作っているタルマーリーも、独自の出版コンセプトを持つミシマ社も、市場で商品を売って代価を得るという関係とは別に「この企業にはぜひ存続してほしい」という人たちを「サポーター」として集め、その寄付によって企業活動を継続している。

製造者とその成果を享受する人たちとの間に人間的信頼関係があるからこそ、直接的な支援が可能になる。このような企業活動がポストコロナ期の「小商い」の1つの事業モデルになっていくだろうと私は思う。

【ポイント】

①米国が凋落し、中国が浮上

②「選択と集中」は見直しへ

③買い替えで経済を回す

（構成・堀川美行）

内田　樹（うちだ・たつる）

1950年生まれ。思想家、武道家、神戸女学院大学名誉教授。東京大学文学部卒業、東京都立大学大学院博士課程中退。専門はフランス現代思想、教育論など。近著に『サル化する世界』など。

【人間関係】ゴリラに学ぶコミュニケーション

ネットで仲間はできない

前・京都大学総長　山極寿一

感染症の蔓延によって人が対面する機会はぐっと減った。一方で、チャットやビデオ会議によるコミュニケーションが増えている。こうした状態は、人間関係に大きな影響を及ぼすのではないか。

「生物とは、時間と空間を同時に扱えるものである」。これは、僕の師匠であり霊長類学の創始者である今西錦司さんの教えだ。信頼関係を構築するために重要なのは、この「時間」と「空間」の2つを相手に委ねること。顔を突き合わせ、時間をかけて話をすることで、信頼が形成されていく。

こうしてつくられたネットワークを「人的社会資本」という。社会資本とは本来、国民が生活するうえで必要な福祉と経済を支えるインフラを指す言葉だ。僕はこれに「人が社会生活を送るうえで必要不可欠な人的ネットワーク」という意味を加えて、人的社会資本と呼んでいる。1人では解決できない困ったことが起きたとき、頼ることのできる存在のことだ。

このことを学んだのは、野生のゴリラと一緒に生活したことがきっかけだった。ゴリラは仲間の顔が常に見える、10頭前後の群れで暮らしている。顔を見つめ合い、しぐさや表情からお互いの感情や意図を的確に読み取る。ゴリラには仲間との社会関係以外に頼る社会資本はなく、これは人間にとっても始原的なものであるといえる。人間も本来、10~15人の集団が最もまとまりのよいサイズで、ゴリラ同様、日常的に顔を合わせることで信頼関係を形成していく。僕自身の経験をいえば、アフリカでゴリラの研究をするため一緒に森へ入った米国人、英国人の研究者の同僚は、後の人生でも研究のアドバイスをもらえる重要な社会資本だ。

ゴリラと人間の違い

ただ、人間だけにほかの生物とは異なる点がある。言葉を発明したことによって、時間や空間を超える力を持つことが可能になったのだ。現代では、インターネットなどの情報通信技術が発達したから、相手と時間も空間も共有せず、多数の相手とサイバー空間上で脳だけがつながるような状態が生まれている。コロナ禍はこの変化を加速しているように思うが、気をつけるべき点がある。

京都大学は、他大学と同様に新学期からほとんどの講義がオンラインに移行した。自分でも2回ほどオンライン授業をやってみたが、大学の意味を根本から揺るがすデメリットがあると感じた。オンラインでは、新たに仲間をつくることが難しい。

学生がなぜ大学という場に集まっていたかというと、仲間と一緒に学ぶためだ。ネットにアクセスすれば情報が手に入る現代、教育の「知識を伝授する」という役割は薄れている。学びの本質は、先生や仲間が世界をどう解釈しているかを、ゼミなどでの対話を通じて自分の頭で考えることにある。

京大では、大学の授業の中でもとくにゼミを大事にしている。所属していた人類進化論研究室には、「エンドレスゼミ」というのがあった。僕は学生時代、1人でゼミ報告を史上最長の9時間やったという記録を持っている。このゼミに参加する人は必ず意見を言わなくてはならない。それがどんどん展開し、収束するまで議論を止めてはいけない。だからエンドレスになる。ここで学んでほしいのは、人がいろいろな思惑でものを言う中で、何を酌み取って自分の意見とするか、という現場感覚。こうして学んだことが生の知識として身に付く。

サークルの課外活動などを通じても多様な人と出会えるのが総合大学のいいところ。医学部と文学部の学生が知り合い、それが生涯頼り合う仲間、つまり人的社会資本になるようなこともある。

ビデオ会議の落とし穴

ビデオ会議が対話の代替になるんじゃないか。そう思うかもしれないが、どうも腹の内が探り合えない。ある人の発言をほかの人はどう見ているのか、どんな雰囲気なのか。顔だけが映った小さな画面を通じてこれをつかむことは難しく、自分が空気をつくることもできない。だから、意見をまとめようとすると至難の業だ。各自の意見を言い合うことはできるが、これは対話ではない。

もっとも、講義形式の授業であれば、オンラインのほうがむしろ学習効果は高まるだろう。学生は周囲をうかがえないため、個別授業を受けている感覚になり、教員と真摯に向かい合う。授業内容を事前に予習し、講義では質問をするだけ、という「反転学習」で学習効率を高めることもできる。

LINEやチャットなど、文字でのやり取りはどうか。これもまた対話に向いていない。文字というのは、人間が発明した言葉の「化石」だからだ。ある人が文字を読むとき、それを書いた人は基本的に目の前にいない。だから、その意味は読み手本意でいくらでも解釈できる。すると、読み手の気持ち一つで誤解が生じ、書き手の込めた意味が意図せず膨れ上がってしまうこともある。

これは、とても危険なことだ。もし対話をしていれば、誤解が生じたらその場で解くことができる。「いや、僕はそんなつもりで言ったわけじゃないんだよ」と。こうして二度と繰り返せない一過性のやり取りをすることで、人間関係や物事の解釈を前に進めるのが、言葉の本来持つ役割だった。

それが文字でのやり取りになった瞬間に「化石」、つまり生きた行為がそぎ落とされたものになって、不信感をあおる。「あいつはこんなことを書いているが、それは本意なのか」という思いが、読み手の側で生じていくからだ。本来は、話し言葉と書き言葉の違いをよくわかって言葉を操らないといけないんだ。

最も危ういのは、話し言葉を文字化するチャットやSNSでのやり取りだ。一見、会話をするのと同じだと錯覚するが、使っているのは文字。だからすぐに炎上する。

そもそも、人間が交わす言葉はほとんどが意味のないことだ。英国の霊長類学者にロビン・ダンバーという人がいる。彼によると、人間の交わす会話の大半はゴシップだという。その場にいない人の噂話をしながら、自分たちの関係性を確かめ合い、相手と新たな関係性を構築しようとする。その内容の中には、多分にうそも含まれているが、もともと意味のない会話だから、それでいい。ただ、これが記録され再現可能になることで、初めて問題が生じる。

今、いちばん心を痛めているのは大学の新入生のこと。一度信頼関係を築いてしまえば、あとはLINEで連絡し合っても何とか大丈夫。ただ、初対面の相手とのバーチャルな交流で、新たに信頼関係を築くのはなかなか難しい。せっかく京大に入って希望に燃えているのに、彼らが実際に顔を合わせられていないというのはとても残念なことだ。

欧米の大学の中には、すでに21年まで対面授業をやらないと決めたところもあるけれど、京大としてはずっとオンライン授業をやっていくつもりはない。7月から段階的に、実験や実習などオンラインで行うのが難しい授業から対面授業を導入している。人が密集しないように、同じ授業を何回かに分けて行うなどの工夫が必要だから、教える側は大変なのだけれど。

便利だからと何もかもオンライン化してはダメ。政府はコロナ禍を「デジタルトランスフォーメーションを進める好機だ」なんて言っているけれど、人間というのは、機械にはならないんだ。人間は社会を形成するうえで、移動して、集まるということを繰り返してきた。集まって一緒に食事をし、将来を語り合い、ゴシップを話すことで関係性を確かめ合い、絆をつくってきた。感染症が蔓延しているときは、ソーシャルディスタンスを取る。でも、できるだけ会うという行為そのものをやめてはいけないと思う。

コロナ時代の学び

オンライン化が進むメリットもある。大学教育でいえば、大学や地域、国の境界を超えて授業を発信しやすくなることで、世界中から学生を呼び寄せるチャンスが増えるのではないか。米国では、無料オンライン講義「ＭＯＯＣ（ムーク）」を行っている大学が多い。米国の大学は授業料が高い。それを支払ってまで入学したいという学生を集めるためには、大学がいかに魅力的であるかということを証明しなくてはいけないからだ。そのためのツールが無料のＭＯＯＣ。要は、釣りの餌だね。今回のコロナによって、オンライン上での大学の講義のオープン化は加速している。すると、どの講義が面白いか、という競争が、世界規模で起こることになる。

日本の大学の場合、米国の大学のように授業料を高くして金持ちの学生を集めるビジネスモデルを取る必要はないが、日本発の授業を世界に発信できるチャンスは増えていく。僕もＭＯＯＣで「人間の社会性の起源」という英語の講義を発信している。人間の社会性の起源を、人間以外の霊長類から解き明かすという内容で、京大のオリジナルな学問の成果だ。この講義を世界中の人が受けてくれている。この講義をきっかけに、日本発の霊長類学に世界が関心を持ってくれたらいい。

コロナ時代の新しい研究手法も生まれている。最近、教え子の１人が面白い研究成果を発表した。彼の論文は、動画配信サイト「ユーチューブ」にアップされているたくさんのゴリラの映像を基に、「人はゴリラにどういう接触をしたがっているか」について分析をしたものだ。野生のゴリラの保全を目的とした研究で、オンライン上の情報を、現実世界の分析に逆利用している。

この考え方を応用すると、例えば内戦などで実際に行くことが難しい地域における現代的なイスラム教徒のファッションを調査するために、現地の若者の「インスタグラム」や「フェイスブック」を調べる、なんていうことも可能だ。いわば、新しいフィールドワークの手法である。切り口はいろいろあるだろう。現代の若者の新しい感覚でどんどん学問の手法を塗り替えていけばいい。

【ポイント】

① 時間と空間の共有が信頼を生む

② 生涯頼れる仲間＝人的社会資本

③ チャットでの会話は注意が必要

（構成・印南志帆）

山極寿一（やまぎわ・じゅいち）

1952年生まれ。京都大学理学部卒業、同大大学院理学研究科博士後期課程単位取得退学、理学博士。京大霊長類研究所助手、同大学院理学研究科助教授を経て、同教授。2014年10月第26代総長。

進化する「知の蓄え方」

ITジャーナリスト・松村太郎

パンデミックの中で私たちの心中をかき乱し続けているのが、報道やインターネットを通じて押し寄せる不確かな情報の氾濫＝インフォデミックだ。

インフォデミックは、感染症との戦いに大きな悪影響を与えている。フェイスブックやツイッターなどを通じて拡散される情報によって、マスクやトイレットペーパーの買い占めが起こるし、「42万人死亡説」や「コロナは風邪」のようなインパクトの強い情報ほど増幅して拡散されていく。知識人、専門家と呼ばれるような人たちですら、こうした強い情報に振り回されてしまいがちだ。テレビ、ネットメディアなども、増幅して拡散する役割を担うことが多い。

「縦のメディア」へ

氾濫する情報に振り回されるような状況は、そう簡単には変わらない。しかし、個人ベースでは意識転換によって防衛できる。それは、「横のメディアからの情報摂取」を抑制し、「縦のメディアを活用した知の蓄積」を意識することだ。

横のメディアとは多くの読者を集める拡散力を持ったメディアで、いわば量のメディア。それに対し、縦のメディアとは知の深掘りを狙った質重視のメディアである。

横のメディアの代表格は2010年代に急激に普及し大きな力をつけてきたフェイスブックだ。友人関係をデジタル上に記述し、つながりのある人々を通じてさまざまな情報を得る仕組みだ。多くの人が集まり、毎日何度も通う場所だからこそ、広告ビジネスも高成長を続けてきた。

ところが、16年に行われた米国の大統領選挙で、不正な形でユーザーデータが流用された「ケンブリッジ・アナリティカ」のスキャンダルをきっかけに、フェイスブックに対してはプライバシー面で懐疑的な見方が広がった。この問題は選挙キャンペーンへの信頼感を落としただけではない。友人から送られてきたリンクによって自分のプライバシーが流用されてしまう、という厳しい事実を突きつけたのだ。

こうした問題もあり、これまでのマスメディアともソーシャルメディアとも異なる「縦のメディア」に注目が集まるようになった。中でも注目したいのが「クオーラ（Quora）」、「レディット（Reddit）」、「ノート（note）」だ。

新しい知の共有が始まっている ―主な知識共有サービス―

	Quora（米国）	Reddit（米国）	note（日本）
サービスのタイプ	ナレッジマーケット	ソーシャルニュース	クリエーター配信サイト
運営会社	Quora, Inc.	Reddit Inc.	note（旧ピースオブケイク）
設立	2009年	2005年	2014年
ビジネスモデル	広告	広告・有料課金	作品販売手数料・有料課金
月間ユーザー数	3億	4億3000万	4400万
年間売上高	2000万ドル	1億ドル	―

（注）月間ユーザー数、年間売上高は直近の概数　（出所）取材や会社資料を基に筆者作成

いったい何がこれまでのメディアと違うのか。それぞれの特徴を見ていこう。

クオーラは、フェイスブックの礎を築いてきたエンジニア、アダム・ディアンジェロ氏がつくり上げた、Q&Aコミュニティーだ。人々は疑問をクオーラに投げかけ、その知識を持ち合わせている人から答えを引き出す。日々、膨大な問いと答えが蓄積されていくことによって、人々が抱く疑問への答えがそろっていくことになる。

ここでは、質問に答える人々が一方的に知を放出しているだけではない。質問という刺激によって、答えを考える側の学びも深まっていくコミュニティーだ。

「人々はより自然に知識を共有すべきだし、他人の人生に自分の知識を役立てるべきだ」と考えるディアンジェロ氏は、質問と答えの投稿スタイルにこだわることで、純度の高い情報を蓄積する泉をつくり上げつつある。クオーラの中心は米国だが、日本語版サービスもある。

クオーラが静かな泉であるなら、レディットは情報が絶え間なく流れ続ける動のメディアだ。しかし議論はトピックごとに整理されており、そのトピックに関心を持った人が集まってくる。レディットは、日本の匿名掲示板の文化からも少なからず影響を受けているといえるだろう。

このソーシャルニュースサイトには、地域の問題、子育ての問題など、プライベートな話題もトピックに挙がり、スピーディーに議論が交わされ、話題の良しあしで加点・減点の評価が与えられていく。こうして、興味があるトピックの良質な議論を発見できるようになるのだ。

レディットでのユニークな文化は、「Iama」や「AMA」といわれるもの。これは「私は〜である（I am a 〜）」「何でも聞いていいよ（Ask me anything）」の略。著名人がレディットに現れ、ユーザーと掲示板で交流するのだ。

2012年の米大統領選挙キャンペーン中だったバラク・オバマ大統領、テニスのロジャー・フェデラー選手などが参加しており、直近では2020年3月18日、新型コロナウイルスの課題解決に多大な知見と資金を提供しているビル・ゲイツ氏が現れ、これまでの知見を自ら説明する「AMA」を行い、11万2000ものコメントが寄せられた。

日本のノートは現在急成長しているクリエータープラットフォームである。

あまたある他のブログサービスやソーシャルメディアと決定的に異なっている点は、プラットフォームの設計が、徹底的にクリエーターの利益になることを目指していることだ。

クリエーターが作品を販売し、活動を支えてもらうための課金プラットフォームを整備。ユーザーもよいコンテンツやクリエーターを、お金を払って支える前提で集まってくる。

これまでのウェブメディアは、多くの人が集まることで広告が出稿され、そこでマネタイズする仕組みだった。そのためコンテンツの質以上に量（ビュー数）が重視され、クリエーターの自由な創作に結び付かないことが多かった。

ノートはこれを覆し、クリエーターにとって便利で心地よい「場」をつくることで、良質なコンテンツが絶え間なく供給されるようになっている。クリエーターにマネタイズの手段を提供することによって創作に持続性が生まれる。これを求めるクリエーターが集まっているのだ。

トピックや作品を軸に集まる読者にとっても、独自性のある宝箱のようなメディアといえるだろう。

能動的な知の蓄積へ

マスメディアとは情報を受動的に得るメディアだ。本来は双方向であるはずのソーシャルメディアも、大多数の人にとっては流れてくる情報を受動的に摂取するメディアにすぎない。

それに対し、ここで紹介した「縦のメディア」では、読者のほうが能動的に、自分にとって必要なコンテンツを選び出す必要がある。書店に行って自分が読むべき書籍を探し出し、購入して読み込むようなもので、これこそがデジタル時代における新しい知の蓄え方なのではないだろうか。

もちろん、情報を摂取するためにはマスメディアやソーシャルメディアのような横のメディアも不可欠である。しかし、そこではインフォデミックが発生しやすいことを理解し、バランス感覚を鍛えるべきなのである。

松村太郎（まつむら・たろう）

2019年まで8年間、シリコンバレーから取材。キャスタリア取締役、iU教員。近著に『Anker 爆発的成長を続ける新時代のメーカー』（マイナビ出版）。

ハイエクで知る社会主義の理想と現実

大阪大学大学院准教授・安田洋祐

大きくは社会の仕組み、身近なものでは働き方や地域経済との関わり、そのよい面と悪い面が、コロナ禍の中で浮き彫りになった。僕たちは、今までとは明らかに異なる経験や頭の使い方をした。リモートワークも住まいとその近辺のみで過ごすステイホームも、平時にはありえなかったはずだ。これを次にどうつなげていくか。今はまだモヤッとしている思考に確かな軸を、そして新しい視点を与えてくれる本を紹介したい。

1冊目は『**アイデアのつくり方**』（ＣＣＣメディアハウス）。１９４０年初版の本だが著者ジェームス・W・ヤングの主張は今も古びない。彼はまず、アイデアは既知のものの同士の組み合わせから生まれる、と明快に説明する。これは、経済学ではよく知られたシュンペーターの「新結合」、今でいうイノベーションの定義とよく似ている。そして、既知のもの同士をうまくつなげてアイデアにするには事物の関連性、一見するとバラバラな言葉や事柄を結び付ける能力が重要だともいう。これを身に付けるために、ヤングが自身と同じ広告業界の人々に勧めたのが、社会科学の勉強だった。

専門知がアイデアを生む

ある分野を体系的に学ぶことで、ビジネスや日常にも新しいアイデアが生まれる。そしてそれは、後天的に育むことのできる能力であるという。古典や教科書をひもとくに先立って本書を読むと、学びのモチベーションを得られる。

『ラディカル・マーケット 脱・私有財産の世紀』（東洋経済新報社）は、民主主義と資本主義のタッグによる発展の行き詰まりを、抜本的な仕組みの転換で打破しようと提言する。最も強調されるのは「市場の活用」。行き過ぎた自由競争の弊害が批判される時代にありながら、市場メカニズムのさらなる活用を求め、競争のメリットを最大限に享受しようとする姿勢が鮮烈だ。

例えば、所有権に関して著者らが提唱するCOSTという仕組みでは、課税される資産の価値は自己申告制で、より高い金額を申告、つまりより高い税を支払う意思を示せば誰でもその使用権を買い取れる。よって、資産はつねに最高額での評価とそれに応じた納税を行う人に使用されることになるが、実はこれは、「所有」に含まれる、「使用する権利」と「所有物を奪われない権利」を切り分ける、非常にラディカルな発想でもある。

実務面での難しさはあるが、この仕組みと相性のよいライセンスビジネスや電波オークションなど、特定の分野への導入には検討の価値がある。ゴールは、資産の不当な独占を排し、最大限有効活用すること。荒唐無稽に思えても、本書に登場する各アイデアは学術論文に基づき、専門家同士のレビューに耐えたものだ。新しい社会・

経済を構想するうえで、1つのベンチマークを与えてくれる一冊だ。

『コーポレート・トランスフォーメーション』(文藝春秋)の著者、冨山和彦氏は、ガバナンス改革の重要性を説き続けてきた人物だ。産業再生機構が出発点であるだけに、日本企業のガバナンス問題を熟知している。同時に、自身が解説を担当した『両利きの経営』にある既存ビジネスの深化と新たな成長機会の探索、双方の重要性を語るなど、実地と経営理論のバランスもよい。

ビジネスをスマイルカーブで捉えると、ある業界の上流・中流・下流のうち、付加価値を高めやすく儲かりやすいのはコアな部品の製造などを行う最上流と実際の顧客接点となる最下流で、中流はコモディティー化しやすいという。本書では、多くの日本メーカーが利益率の低い中流に陥ってしまっている現状が、ガバナンス上の問題と、著者自らの経験により指摘される。中流からどう脱却するか、どのような認識でトランスフォーメーションを進めるか。皆さんのようなビジネスパーソンにとって、ひとごとではないだろう。

『2020年6月30日にまたここで会おう』（星海社新書）は、2019年年夏に早世したエンジェル投資家・瀧本哲史氏が12年に東京大学で行った講義を基にする。次世代に向けたポジティブなメッセージから得るものは多いが、僕自身、瀧本氏のこの視点が重要だと改めて感じたのは、資本主義の大前提に関する部分だ。

市場の判断の重要性

誰が正しいかはわからない、だからこそ多くの人が自分のアイデアに懸け、自己責任でやっていく。それを市場が判定して、よいものは大きくなり、ダメなものは淘汰されてやり直し。この試行錯誤の仕組み、エコシステムの重要性を、今こそ強調したい。格差、肥大化した金融資本主義、環境などの諸問題に感染症が加わった。この行き詰まりの中で、軌道修正を熱望する人々の思いは理解できる。だが筋の悪い修正をすれば、瀧本氏が強調した「結果的にうまくいったものを広げてみる」という資本主義の最も重要なダイナミズムを損なうおそれがあるのではないか。

フリードリヒ・ハイエクはこうした資本主義の利点を誰よりも深く理解し、社会主義に傾倒していく西欧諸国への憂いを、非常に早い段階で訴えた。『隷従への道』(日経BPクラシックス)初版は第2次世界大戦終結前の1944年。当時、全体主義ファシズムに対する警戒は広がっていたが、「社会主義は全体主義とは似て非なるもので、ある意味で最先端」というイメージが知識人にすらあった。

ハイエクは、社会主義への道というのはまさに「隷従への道」で、社会主義化の先に待つのは全体主義でしかないと喝破した。個人の自由、政治的な自由が失われることに無自覚のまま、社会主義の美辞麗句に踊らされた先にどんな悲劇が待つか。非専門家向けに極めてわかりやすく書かれた本だ。

今、この本を薦めたいのは、安易に社会主義に飛びつく人が若い世代を中心に増えていることを感じるからだ。まずは本書を読んで、社会主義の理想と現実のギャップを知っておきたい。価値観が変容し、金銭一辺倒ではなくなった今だからこそ、良書に触れ、格差拡大を克服しながらも、自由競争が生む社会・経済のダイナミズムを生かす方法を考えたいと思う。

【選書のポイント】

① 最先端の理論から古典名著まで

② 著者の研究や経営の実績も重要

（構成・山本舞衣）

安田洋祐（やすだ・ようすけ）

1980年生まれ。2002年東京大学卒業。07年米プリンストン大学で経済学博士号取得。政策研究大学院大学助教授を経て現職。専門はゲーム理論、マーケットデザイン。

INTERVIEW

本で教養を身に付けよ

一橋大学 名誉教授・野口悠紀雄

ビジネスパーソンの学びは今後どう変化するのか、どうあるべきなのか。『「超」整理法』や『「超」勉強法』などの著書がある野口悠紀雄氏に話を聞いた。

――今後、社会や経済はどのように変わると考えていますか。

コロナ禍が終息しても、アフターコロナの世界はそれ以前の世界の連続ではありえない。ニューノーマル（新常態）という言葉が広まってきたが、まったく違う新しい世界になる。それに対応できるかどうかが重要だ。

この時期にどういった勉強をし、読書をするのか。在宅勤務が導入され時間ができた、では家でゴロゴロしようという人と、この時間を使って本を読もうという人には、大きな差が出る。

社会人には独学以外ない

――これまでも『「超」勉強法』『「超」独学法』などの著書で勉強の重要性を説いています。

今だからというわけではなく、学ぶことは、いつの時代も重要だ。そして社会人にとっては、勉強の方法の中でも、「独学」がとくに大切だ。

あらゆる学びにおいて独学が重要なわけではなく、小・中学校など基礎教育では、「学校に行くこと」に意味がある。

だが、社会人が自分の仕事のためにする勉強は、独学以外ありえない。自分の専門分野について学びたいとき、何をどう学ぶべきかは、人により大きく異なる。専門分野自体や、学び始めの時点でどんな知識をどの程度持っているかなど個々の条件が違うからだ。

社会人にとって、独学は学校の代用品ではない。学校に通う時間や学費がないから代わりに独学、というわけではないのだ。学校に行っても自分に必要なことをピンポイントで学ぶことはできないから、独学をするしかない。

仕事のための外国語の勉強でとくにそのことが顕著だ。英語で仕事をする場合には、専門分野の仕事を英語で伝え、聞き取ることが必要だが、ここで気をつけないといけないのは、一般的な英会話とビジネスの場における英語が、大きく違うということだ。日本語であっても、仕事のうえでは、日常生活で使わない専門用語を用いる場面が多い。それは英語でも同じだ。こんにちは、ごきげんようと英語であいさつできるか否かは重要ではない。言語が英語になったときにも、自分の専門分野に特有の用語を適切に使えるかどうかが重要だ。

専門用語は、その分野の専門家でないと教えられない。英会話スクールで教えることは不可能だ。だから、独学が必要になる。

——独学では、何を学びの対象とするかが大切だと感じます。

学びの対象を定め、学ぶ目的をはっきりさせることが肝心だ。学校では、カリキュラムが与えられ、それに従ってベルトコンベヤー式に、ほぼ自動的に勉強していくことになる。学びの目的を意識する機会はあまりないかもしれない。だが、独学においては、どのような勉強をしたらいいのかを自分で決めねばならない。

実は、「何を勉強すればよいか」、これが独学の最も難しい部分だ。カリキュラムの用意は学校の重要な役割だが、独学では、目的をはっきりさせたうえで自分自身で作っていくしかない。

——近著『中国が世界を攪乱する AI・コロナ・デジタル人民元』では中国の強さを分析しています。中国について勉強する場合、何がポイントですか。

中国の影響力が日増しに大きくなっているのは間違いない。これまでとは世界のあり方が変わってきている。本書でとくに強調したのは2点。1つは、歴史だ。これまで欧米諸国に後れを取っていた中国が、なぜ爆発的に成長し始めたのか、その理由。

そしてもう1つがＡＩ（人工知能）だ。中国で、とくに発展が著しいのはＡＩ分野だ。中国に関しては、歴史とＡＩを学ぶべきだと思う。

――中国語はどうでしょう。

可能であれば中国語を勉強するべきだ。しかし例えば私には、中国語を一から勉強をする時間的余裕はもうない。そこで、自動翻訳を使う。自動翻訳が以前と比べて使えるようになってきている。利用の仕方を工夫すれば、得られるものは多い。

「学ばない」という選択

もう1つ、中国語については、昔から考えがある。自動翻訳が稚拙だった頃からの考えだ。結論から言うと、中国語を基礎から勉強せずとも中国語文献は読める。私が専門とする経済の分野で、いちばん重要なのは、統計データの分析だ。例えば、中国には税関による重要な貿易統計があり、中国の国別貿易状況に関してはこれを見るしかない。

実は、この統計は非常に簡単に読むことができる。覚える必要があるのは、中国語での「輸出」と「輸入」、そして、国名表記だ。日本はそのまま、米国は「美国」など、そう難しくない。そして、数字はアラビア数字なので何の問題もない。貿易のほかにGDP（国内総生産）の統計などもだいたい見当がつく。つまり、自動翻訳がうまく機能しなかった頃から、中国の統計は読めたのだ。重要なのは、その事実を知っていること。勉強の労を思うと立ち止まってしまいがちだが、勉強しなくてもある程度は読める。そう理解することで多くのものを得られる。

さらに、新聞くらいなら中国語を知らなかったとしてもある程度は意味をとれるだろう。なぜなら、日本人にとって漢字で書かれた中国語の文字のかなりの部分は読めるからだ。その意味で、日本人は世界で特殊な位置にある。勉強しなくても中国語文献の大ざっぱな意味をある程度捉えることができる。これは重要なことだ。


――日頃からかなり多くの本を読むと思いますが、読み方にコツはありますか。

明確なテクニックがある。まず、専門書は最初から読んではいけない。最後が大事だ。結論から読むとよい。そして目次へ、さらに、全体をパラパラとめくって、だいたい何が書いてあるかを確認する。ここまで5分。読むに値する本かどうかを、ここで判断する。

索引の有無は重要

次に、読むに値する箇所を探す。最初から読んだりはしない。重要な部分から始めて、徐々に前に戻ったり、後ろに進んだりする。このとき、索引がついていると非常に作業しやすい。欧米の専門的な本には必ず索引がある。索引のない専門書は専門書として認められない。索引の有無は読むに値するかどうかを判断する重要な基準になる。

これが専門書の読み方のコツだ。私が著書に索引をつけるのは、この読み方を可能にするためで、自著を読み直す場合も索引を頼りにしている。

ただし、小説は違う。つまらない部分が延々と続いても、始めから順に読まなければならない。面白くなるまで我慢が必要だが、小説と専門書を「本」とひとくくりにしてはいけない。

――索引の使い方を具体的に教えてください。

そもそも、専門書を読むのは、何かについて深く知りたいからだ。このとき索引は、何がどこに書かれてあるかを示してくれる。索引で知りたい言葉を探して、該当箇所を読む。これが基本動作だ。本を買う段階で、自分の知りたいことが索引に載っているかどうかを確認しておくとよい。ウェブ検索では誰もが同じようなことをしている。言葉を打ち込むグーグル検索と索引の利用、やっていることは同じだ。

知りたいことを探して読む、それは下から上に行く勉強の仕方だ。通常の受け身の勉強の流れは上から下、目次を見て、序論から終わりまで順番に読み進めていく。しかし索引の利用によって、知りたいことに効率的にたどり着ける。目的を果たすための近道だ。

何も読まないよりはマシ

図書館の本の場合、重要なことが書かれた箇所を見つけるテクニックがもう1つある。私がこの読書法を身に付けたのは、米国に留学していた大学院生のときだ。米国の大学院では大量の読書課題が出る。しかし、分厚い本を何冊も読めるわけがない。

それでも読むしかない。図書館の本を借りたときに気づいた。ほかの人が読んだところ、集中的に読まれているところには跡がついていて一目瞭然なのだ。そこだけを読む。不完全な読み方だが、何も読まないよりはずっとマシだ。

ただ、重要な部分だけに絞り込んで本を読む場合でも、全体を平板に読むのと同じくらいの時間がかかってしまうことは多い。漫然とではなく、集中して読むからだ。

——読むべき本の中にも、重要な部分とそうでない部分があると。

本を書く立場からは言いにくいが、実は多くの本は、著者が、「これを書きたい」と強く思っている部分とそうでもない部分の両方からなる。書きたい部分だけで本にするわけにはいかないし、やはり始めから終わりまで体系的に書いていかないとまともな本にはならない。そのような事情を踏まえると、読者がまじめに、最初から最後まで平板に付き合う必要はない。自分が本を書くようになって、強くそう思うようになった。

また、勉強するに当たっては、専門書でないビジネス書を読む必要は、ほとんどない。9割の本は、自分にとって読む必要のない本だと認識して、良質な本を選ぶとよいのではないか。小説や、独学に必要な専門書を読むことは大切だが、世の中には読む必要のない本があふれている。時間は限られているのだから、自分にとって必要な1割に読書の努力を集中するよう注意してほしい。

——ここまで、独学と、そのための読書についてのお話でしたが、明確な目的意識がなければ独学は不可能でしょうか。

独学は、誰にとっても可能であり、将来のために必要なことだ。目的がまだ決まっていない人こそ、今すぐ独学を始めるべきだと思う。目的が決まらないと勉強を始められないと思うのがよくない。目的を決めるのは大事なことであるが、非常に難しい。目的を定めようとしていたずらに思い悩み、実際の勉強には取りかかれないというのが、いちばんよくない。

1日1つ新語を学ぶ

目的の決まっていない人が独学を始めるためのいちばんよい方法は、1日に1つ新しい言葉を知ることだ。新聞や雑誌には日々、新しい言葉が登場する。例えば、すでによく知られているが「DX」や「SDGs」、これが何なのかを調べる。1日に1つでいい。インターネットで検索すればすぐにわかる。

簡単なことと思うかもしれないが、やってみると意外に難しいとわかるはずだ。夜寝る前に、今日は1つでも新しい言葉を勉強したかと振り返る。今日は疲れていた、忙しかった、できなかったけど仕方ない、という日が多くなるだろう。だからこそすぐ始めることが重要なのだ。

これを続けていくうちに、自分の目的も見つかる。Learning by Doing（ラーニング・バイ・ドゥーイング）だ。新しい言葉を見つけて、それが何なのかを調べる、これ自体は、機械的に進めていける作業だ。小さなところからまずは積み重ね、そしてあなた自身の目的、独学のテーマを見つけてほしい。これからの世界では、勉強は絶対に必要だ。

（聞き手・山本舞衣）

野口悠紀雄（のぐち・ゆきお）
1940年生まれ。63年東京大学工学部卒業、64年大蔵省入省。72年米イェール大学で経済学博士号を取得。一橋大学教授、東京大学教授などを経て2017年から早稲田大学ビジネス・ファイナンス研究センター顧問。『「超」独学法』など著書多数。

【週刊東洋経済】

本書は、東洋経済新報社『週刊東洋経済』2020年8月8日・15日合併号より抜粋、加筆修正のうえ制作しています。この記事が完全収録された底本をはじめ、雑誌バックナンバーは小社ホームページからもお求めいただけます。

小社では、『週刊東洋経済eビジネス新書』シリーズをはじめ、このほかにも多数の電子書籍ラインナップをそろえております。ぜひストアにて「東洋経済」で検索してみてください。

『週刊東洋経済eビジネス新書』シリーズ

No.325 マネー殺到! 期待のベンチャー
No.326 かんぽの闇 保険・投信の落とし穴
No.327 中国 危うい超大国
No.328 子どもの命を守る
No.329 読解力を鍛える

No.330　決算書&ファイナンス入門
No.331　介護大全
No.332　ビジネスに効く健康法
No.333　新幹線 vs. エアライン
No.334　日本史における天皇
No.335　EC覇権バトル
No.336　検証！ NHKの正体
No.337　強い理系大学
No.338　世界史&宗教のツボ
No.339　MARCH大解剖
No.340　病院が壊れる
No.341　就職氷河期を救え！
No.342　衝撃！ 住めない街
No.343　クスリの罠・医療の闇

No.344　船・港　海の経済学
No.345　資産運用マニュアル
No.346　マンションのリアル
No.347　三菱今昔　150年目の名門財閥
No.348　民法&労働法　大改正
No.349　アクティビスト　牙むく株主
No.350　名門大学　シン・序列
No.351　電機の試練
No.352　コロナ時代の不動産
No.353　変わり始めた銀行
No.354　脱炭素　待ったなし

週刊東洋経済eビジネス新書　No.355
独習　教養をみがく

【本誌（底本）】
編集局　堀川美行、山本舞衣、林　哲矢、佐々木亮祐、長谷川　隆、印南志帆
デザイン　池田　梢、藤本麻衣、小林由依
進行管理　三隅多香子
発行日　2020年8月8日・15日合併

【電子版】
編集制作　塚田由紀夫、長谷川　隆
デザイン　市川和代
制作協力　丸井工文社
発行日　2021年2月1日　Ver.1

発行所　〒103-8345
東京都中央区日本橋本石町1-2-1
東洋経済新報社
電話　東洋経済コールセンター
03（6386）1040
https://toyokeizai.net/
発行人　駒橋憲一

電子書籍化に際しては、仕様上の都合などにより適宜編集を加えています。登場人物に関する情報、価格、為替レートなどは、特に記載のない限り底本編集当時のものです。一部の漢字を簡易慣用字体やかなで表記している場合があります。本書は縦書きでレイアウトしています。ご覧になる機種により表示に差が生じることがあります。

※本刊行物は、電子書籍版に基づいてプリントオンデマンド版として作成されたものです。